collection chrysalide

le ciel tombe

adaptation de Marguerite Maillet

illustrations de Anne-Marie Sirois

Bouton d'or Acadie

Une fois, c'était une petite poule qui, tous les jours, s'ennuyait. Elle se tenait presque toujours toute seule sous le pommier, près de la maison.

Un jour, il ventait très très fort. Tout d'un coup, une grosse pomme rouge tombe sur la tête de la petite poule.

La petite poule est tout étourdie, et elle ne comprend pas ce qui se passe. Elle s'imagine que le ciel tombe, et elle se met à courir.

Sur son chemin, la petite poule rencontre un chat.

— Où vas-tu ? lui demande le chat.

— Ah ! Je pense que le ciel tombe, et je cours avertir la Reine, répond la petite poule.

— Je vais avec toi, dit le chat.

La petite poule et le chat se mettent à courir, et à courir. Ils rencontrent un chien.

— Où allez-vous ? demande le chien.

— Oh ! Nous pensons que le ciel tombe, et nous allons avertir la Reine, répond le chat.

— Je sais où elle demeure. Je vais avec vous deux, dit le chien.

La petite poule, le chat et le chien se mettent à courir, et à courir, et à courir. Ils rencontrent une brebis.

— Où courez-vous ? demande la brebis.

— Nous pensons que le ciel tombe, et nous allons le dire à la Reine, répond le chien.

— Bien, je vais avec vous trois, je sais où elle habite, dit la brebis.

La petite poule, le chat, le chien et la brebis se mettent en route. Mais, aussitôt, ils rencontrent un renard.

— Où allez-vous donc, tous les quatre ? demande le renard.

— Nous pensons que le ciel tombe, et nous courons avertir la Reine.

— Eh bien ! Venez avec moi, je sais exactement où la Reine demeure.

Vous savez, un renard, c'est rusé, et ça tend des pièges. Mais, sans se méfier de rien, la petite poule, le chat, le chien et la brebis suivent le renard.

Le renard les fait descendre, l'un après l'autre, dans son terrier, un grand trou creusé dans la terre. Puis, il bloque l'entrée du terrier.

Jour après jour, le renard se rend à son terrier. Et là, il se régale...

Ni la petite poule, ni le chat, ni le chien, ni la brebis n'ont jamais averti la Reine que le ciel était en train de tomber...

À propos de Bouton d'or Acadie…
Depuis longtemps en Acadie, à la saison florissante, la nature est parsemée de marguerites jaunes qu'on surnomme boutons d'or. En hommage à cette vision fleurie, la fondatrice de Bouton d'or Acadie enr., Marguerite Maillet, a voulu représenter l'entreprise par le symbole floral que rappelle son prénom. Exprimant à la fois le respect d'un imaginaire ancestral et de l'éclosion de la jeunesse, Bouton d'or Acadie enr. participe au développement de la littérature jeunesse en Acadie et partout dans le monde. (Judith Hamel)

Adaptation par Marguerite Maillet d'un conte traditionnel déposé au Centre d'études acadiennes de l'Université de Moncton ; version racontée à Georges Arsenault en 1971, par Léah Maddix (72 ans), d'Abram-Village, à l'Île-du-Prince-Édouard. Illustrations de Anne-Marie Sirois.

Mise en pages : Marguerite Maillet
4e page de couverture : texte de Judith Hamel
                        illustration de Lisa Lévesque

Collection chrysalide : ISSN 1206-2901
Le ciel tombe :   ISBN 2-922203-35-2
Imprimeur : AGMV Marquis
Distributeur : Prologue

Dépôt légal : 1er trimestre 2001
Bibliothèque nationale du Canada
Bibliothèque nationale du Québec

© Bouton d'or Acadie
  204C - 236, rue Saint-Georges
  Moncton, N.-B., E1C 1W1, Canada

  Téléphone : (506) 382-1367
  Télécopieur : (506) 854-7577
  Courriel : boutonor@nb.sympatico.ca
  Internet : www.boutondoracadie.com

Bouton d'or Acadie a bénéficié de l'aide financière du Conseil des Arts du Canada et de la Direction des arts du Nouveau-Brunswick pour la publication de ce livre.